S0-CAX-036

Des amies pour la vie

DOROTHY HAAS

Traduit de l'anglais par
DOMINIQUE CHAUVEAU

DONNEES DE CATALOGAGE AVANT PUBLICATION (CANADA)

Haas, Dorothy F.

Des amies pour la vie

(Praline et Chocolat, 2).
Traduction de: Peanut and Jelly forever.

ISBN 2-7625-6310-0

I. Lindberg, Jeffrey, K. II. Titre. III. Collection

PZ23.H33De 1989 j813'.54 C89-096384-3

Dépôts légaux: 3e trimestre 1989
Bibliothèque nationale du Québec
Bibliothèque nationale du Canada

ISBN: 2-7625-6310-0 Imprimé au Canada

Photocomposition: Deval Studiolitho

LES ÉDITIONS HÉRITAGE INC.
300, Arran, Saint-Lambert, Québec J4R 1K5
(514) 875-0327

À Steve, Nicole, Lise
et Nina VanderVoorts

TABLE DES MATIÈRES

CHAPITRE 1

Les choses ne s'arrangent pas.

Que pense exactement Charlotte de cette fille qui vient d'arriver ? Elle parle, parle, parle tout le temps. De sa merveilleuse ville de Brossard. De sa merveilleuse amie Maude. De sa merveilleuse école.

Et Praline, que pense-t-elle de Charlotte, cette fille qui est dans sa classe ? Elle ne dit presque rien, même lorsque Praline fait de son mieux pour la faire parler. Si elle se décide enfin à ouvrir la bouche, c'est pour parler de sa merveileuse montgolfière en forme de rose bleue, de ce merveilleux concours de lancement de ballons.

Cette Praline ! se dit Charlotte. D'accord, elle a peut-être lu cent deux livres... et alors ? Il devait y en avoir pour les bébés, avec plus d'illustrations que de mots.

Cette peste de Charlotte ! pense Patricia. Oui, elle a peut-être lu cent trois livres. Et puis après ? Elle a dû passer par-dessus tous les passages difficiles.

Charlotte est fière de ses fiches de vocabulaire. Elle a trouvé les mots les plus beaux, comme *sériciculture*. C'est ainsi qu'on appelle l'élevage des vers à soie. Elle aime bien le prononcer à voix haute : « Sé-ri-ci-cul-tu-re ». Aucun autre élève de la classe de madame Cantin n'a trouvé un mot plus long. C'est un mot de treize lettres. Treize !

Praline a, elle aussi, des fiches de vocabulaire. Elle les a apportées de Brossard. Son mot le plus long, c'est *tintinnabulante*, ce qui veut dire qui tinte comme un grelot. Elle enseigne à tous comment le prononcer : « Tin-tin-na-bu-lan-te ». C'est un mot de quinze lettres !

Lorsqu'elle le dit aux autres enfants, elle regarde Charlotte bien en face. Charlotte la dévisage, comme si cela ne la dérangeait pas.

Madame Cantin regarde Patricia, puis Charlotte, mais elle ne dit rien.

Un jour, madame Cantin demande à ses élèves quelle est la capitale du Canada.

Patricia et Charlotte sont les premières à lever la main. Tout en agitant leurs doigts, elles se regardent l'une l'autre.

Je parie que Charlotte ne sait pas que c'est Montréal, pense Patricia. Elle est certaine que Montréal est la bonne réponse.

Je parie que Patricia ne sait pas que c'est Toronto, pense Charlotte. Elle est certaine que la capitale du Canada est Toronto.

Madame Cantin voit le regard que les fil-

lettes se lancent. Cela l’ennuie. Elle pousse un profond soupir, puis demande la réponse à Didier.

— Ottawa, répond Didier. Il y a un édifice qui ressemble à celui de Londres. On a passé nos vacances à Ottawa, et on a vu la relève de la garde. Maman m’a dit que c’était comme à Londres.

— Excellent, Didier, fait madame Cantin. Tu as tout à fait raison.

Ottawa ! Charlotte et Patricia baissent les yeux vers leur livre.

Au cours d'art, Charlotte dessine de si belles fleurs qu'on voudrait tendre la main pour les cueillir.

Au cours de chant, la voix de Patricia, claire et pure, se détache de toutes les autres voix.

Lorsqu'elles jouent au basket-ball, Charlotte marque presque tous les paniers.

Au soccer, Patricia compte la majorité des buts.

« Je suis meilleure qu'elle... »

« Je peux faire tout ce qu'elle fait. Et même mieux... »

« Tu ne peux pas... »

« Je peux... »

« On verra bien... »

« Ah ! »

« Qui a besoin d'elle ? »

Parfois madame Cantin soupire en regardant Patricia et Charlotte agir. Il lui arrive aussi de se fermer les yeux et de se frotter le front comme si elle avait mal à la tête.

Non, les choses ne s'arrangent pas entre Patricia et Charlotte.

Un jour, les élèves descendent dans leur local d'art chercher les bols qu'ils ont faits. Monsieur Fortier, le professeur d'art, avait sorti les bols du four et les avait déposés sur une table au centre de la pièce. Les élèves se poussent du coude pour trouver leur oeuvre.

Charlotte prend son bol. Il est très lisse et encore un peu tiède. Lorsqu'on le place bien droit, il est difficile de remarquer le léger affaissement d'un de ses côtés. Il est d'un bleu ciel fantastique.

Patricia tourne son bol de tous côtés, heureuse et fière. La forme est parfaite et il n'y a presque pas de petites bosses étranges. Il est d'un rouge glorieux.

Charlotte regarde son bol bleu, puis celui de Patricia.

— Le bleu est la couleur préférée de madame Cantin, annonce-t-elle.

Patricia fait courir un doigt autour du bord de son bol.

— Moi, je dis que c'est le rouge qu'elle préfère. L'autre jour, elle avait une veste de cuir rouge et un collier de corail rouge. Charlotte secoue la tête.

— Bleu, dit-elle.

— Rouge, lance Patricia d'une voix assurée.

— Bleu.

— Rouge.

— Allons le lui demander.

— Tu verras.

— Non, c'est toi qui verras.

— Il ne faut pas lui dire qui a fait les bols.

— On verra bien celui qu'elle préférera.

Charlotte et Patricia ont des yeux malicieux. Chacune d'elles pense connaître le bol que madame Cantin va choisir, celui qui lui plaira le plus.

Elles sont les premières à sortir du local d'art. Elles se précipitent à l'étage, posent leur bol sur le bureau de madame Cantin et attendent, assises à leur place.

Bientôt, tous les élèves sont de retour en classe, suivis de madame Cantin qui ferme la porte derrière elle.

— C'est bien, les enfants, s'écrie-t-elle pour couvrir le tumulte. Déposez vos bols sur les rebords des fenêtres jusqu'à ce que les cours soient terminés.

Tous se précipitent vers les fenêtres. Lorsque chacun est de nouveau assis à sa place, le rebord des fenêtres est décoré de bols de toutes les formes et de toutes les couleurs.

— Nous allons commencer un nouveau projet de rédaction, annonce madame Cantin. Ça concerne les animaux. Chacun de vous devez choisir un animal et lire tout ce que vous trouvez à son sujet. Ensuite, vous devez rédiger une composition comme si vous étiez cet animal et que vous deviez vous décrire. Vous...

Elle vient d'apercevoir les bols sur son bureau.

— Je croyais vous avoir dit de déposer vos bols sur le rebord des fenêtres. Patricia, ce n'est pas le tien? Et Charlotte...

Elle regarde les deux jeunes filles.

— Bon! fait-elle comme si elle venait de comprendre quelque chose que les fillettes n'avaient pas compris. Elle prend les deux bols en même temps et les dépose sur une étagère derrière son bureau. On en reparlera plus tard. Pour l'instant, continuons notre discussion sur les animaux.

CHAPITRE 2

— Je vais être un écureuil, murmure Émilie. J'aime la façon dont ces animaux sautent partout et...

Elle appuie sa main contre sa bouche.

— Oh ! J'ai oublié !

— Tu ne dois pas dire le nom de ton animal, stupide, dit Nicolas en ouvrant grand les yeux. Quand ce sera fini, on doit se diviser en équipes et deviner qui a choisi quel animal.

— Ne t'avise pas de traiter Émilie de stupide, Nicolas, intervient Éloïse. Vraiment, tu as la langue trop longue ! Tu peux choisir le tamanoir comme animal, il a la langue aussi longue et collante que toi.

— Je vais choisir un autre animal, dit Émilie, toute penaude. Et je vais me rappeler que je ne dois pas le dire. Mais c'est tellement difficile de garder des secrets !

Tous les élèves sont assis par terre dans la bibliothèque autour des étagères. Ils prennent tous bien soin de cacher l'illustration de l'animal qu'ils ont choisi afin que personne ne puisse le voir. Patricia a choisi un livre d'une encyclopédie qui regroupe les lettres En-Fi. Charlotte, elle, a le livre qui regroupe les lettres Do-Em.

— Patricia ? Charlotte ? appelle madame Cantin. Je peux vous parler une minute ?

Patricia et Charlotte vont la voir en serrant leur livre contre elles.

— Je me demande, dit madame Cantin en

regardant une fillette, puis l'autre, pourquoi vous avez déposé vos bols sur mon bureau. Vous pouvez me l'expliquer?

Patricia et Charlotte parlent en même temps.

— Pour savoir quelle était votre couleur préférée. Pour voir quel bol vous alliez choisir.

Madame Cantin pousse un profond soupir.

— Honnêtement, vous me rendez folle toutes les deux. Je n'ai jamais rencontré d'élèves aussi compétitives que vous deux.

Patricia et Charlotte fixent leurs souliers de course. Madame Cantin donne l'impression de ne pas trop apprécier les enfants qui rivalisent entre eux.

— Vous êtes des filles tellement gentilles, avoue madame Cantin, Comme c'est étrange, vous devriez plutôt vous aimer.

Patricia et Charlotte ne bougent pas. Mais le regard qu'elles se lancent en dit long:

« L'aimer, elle ? »

— Je vais garder vos bols ici pendant un certain temps, continue madame Cantin. Si ça ne vous fait rien, bien entendu.

Patricia et Charlotte font un signe affirmatif de la tête. Elles sont d'accord.

— Bien, dit madame Cantin. Et maintenant, j'ai un projet spécial pour toutes les deux.

Patricia et Charlotte lèvent la tête, intéressées. Madame Cantin est, dans toute l'école, celle qui donne les travaux les plus intéressants. Ils sont toujours très amusants à faire.

— Je veux que vous fassiez une recherche l'une sur l'autre, lance-t-elle, le même genre de recherche que vous faites au sujet d'un animal. Et ensuite, chacune fera une composition à propos de l'autre.

Charlotte croit mal entendre. Qu'est-ce qui lui a pris à madame Cantin d'échafauder un projet aussi terrible que celui-là ?

— Mais il n'existe pas de livre sur elle, proteste Charlotte en montrant Patricia du doigt. Alors comment... ?

Elle ne termine pas sa question.

Patricia fait une grimace. Quel horrible projet !

— ...pouvons-nous apprendre l'une sur l'autre sans aucun livre? continue-t-elle.

— Vous pouvez vous observer l'une l'autre, dit madame Cantin d'un ton légèrement moqueur. C'est ce que font ceux qui se spécialisent auprès des animaux, vous savez. Et vous pouvez vous interviewer — vous poser des questions.

Soudain, Patricia a une idée redoutable.

— Et après, comme avec le projet sur les animaux, je vais devoir écrire à son sujet, comme si j'étais elle?

On dirait qu'elle vient juste d'avaler une mouche.

— Exactement, dit madame Cantin en souriant comme si c'était l'idée la plus fantastique qui lui soit venue à l'esprit.

Charlotte se rend compte de la signification exacte de ce projet. Elle a l'impression qu'elle va vomir.

— Je ne peux pas faire semblant d'être

elle, marmonne-t-elle.

— Essaie, répond madame Cantin. Vous avez toutes les deux beaucoup d'imagination. Voyez ensemble comment vous allez vous y prendre.

Patricia voit toujours le bon côté des choses. Son visage s'illumine.

— Puisque nous devons faire ce travail, nous n'avons plus besoin de faire celui sur les animaux, pas vrai?

— Faux, fait madame Cantin. Vous allez faire celui que je viens de vous donner pour le plaisir seulement.

— Pourquoi nous punissez-vous? demande Charlotte, le front plissé. On n'a rien fait de mal. On ne se bagarre pas.

— Vous n'avez rien fait de mal, dit gentiment madame Cantin. Et ce n'est pas une punition. Je pense que vous allez vraiment aimer ce projet. Et pour ce qui est de faire les deux travaux, vous êtes tout à fait capables d'y arriver. Vous le savez très bien. Si vous avez des questions, venez me voir, ajoute-t-elle en leur tournant le dos.

Elle se dirige vers le coin des livres pour aider Félix qui semble avoir des problèmes.

— Je sais tout à ton sujet, lance Patricia en regardant Charlotte du coin de l'oeil. Je n'ai pas besoin de t'interviewer.

— Moi aussi, je connais tout sur toi, répond Charlotte. Je vais commencer à écrire cette composition tout de suite, tiens!

Les fillettes vont à leur bureau et se laissent tomber sur leur chaise. Elles ouvrent leur cahier de notes à une page blanche. De temps en temps, elles se jettent un regard sombre.

Comme en-tête, Charlotte écrit *Je m'appelle Patricia Beaupré*.

— Oh, comme c'est bête! pense-t-elle en posant sa joue dans sa main. Elle regarde le nom qu'elle vient d'écrire et fait une grimace. Puis elle rature le mot Patricia et le remplace par Praline. Puis elle écrit:

Les gens m'appellent Praline parce que je suis pas mal grosse. J'ai la forme d'une cacahuète. Je vivais dans la merveilleuse ville de Brossard et j'allais à une école merveilleuse, bien meilleure que celle d'ici. Je parle tout le temps et mon autre surnom est Grande Pie. Un jour, bientôt, je vais retourner à Brossard.

Patricia mâche la gomme à effacer au bout de son crayon en réfléchissant. Puis elle écrit : *Je suis Charlotte Miron* en haut de sa feuille. Cette idée lui est tellement horrible qu'elle arrête d'écrire pendant un petit moment. Lorsqu'elle a retrouvé ses forces, elle poursuit :

Je suis tellement maigre que mes os ressortent. Mes cheveux n'ont pas vraiment de couleur. Un médecin m'a peut-être laissée tomber dans une bouteille d'eau de Javel à ma naissance. Je suis prétentieuse. Je ne parle pas aux autres parce que je suis trop intelligente et parce qu'il n'y a personne d'aussi intelligent que moi. Peut-être qu'un jour je m'en irai loin d'ici et ce sera pour le mieux.

Patricia et Charlotte se lancent des regards qui en disent long. Elles posent leur crayon et relisent ce qu'elles ont écrit l'une sur l'autre en pensant : Très bien ! C'est vraiment elle !

Même si elles semblent satisfaites, une autre idée prend forme dans leur tête. Chacune s'imagine lire ce que l'autre a écrit à son sujet. Patricia commence à se tortiller sur sa chaise. Charlotte se recroqueville sur elle-même.

Après un long moment, Patricia plie sa feuille de papier et l'enfonce dans sa poche. Charlotte fabrique un oiseau avec la sienne et le glisse dans son sac à dos.

Elles devront s'interviewer l'une l'autre, après tout.

La cloche sonne et les élèves se précipitent vers la sortie, contents que la classe soit terminée pour la journée.

Éloïse et Émilie rentrent chez elles ensemble à pied. Charlotte les rejoint et, après un moment, Patricia.

— J'ai tout lu sur... commence Émilie.

Éloïse s'empresse de lui plaquer sa main sur la bouche.

— Tu dois le garder secret, cette fois-ci.

Émilie la repousse en riant.

— J'allais dire que j'avais lu au sujet de l'Halloween, aujourd'hui. Je vais me déguiser en monstre, cette année. Et je ne vais pas oublier et parler de mon animal. Promis, je ne le ferai pas.

— Je vais écrire quelques questions, ce soir, annonce Patricia en regardant Charlotte. Je te les poserai demain.

— Je vais en préparer moi aussi, répond Charlotte.

Elles sont toutes tristes. Quelle horrible tour leur a joué madame Cantin!

CHAPITRE 3

C'est la récréation et tous les élèves jouent au volley-ball ou au soccer. Sauf Patricia et Charlotte qui, assises sur une marche sous un chaud soleil d'automne, ont ouvert leurs cahiers de notes sur leurs genoux.

— Bon, dit Patricia, c'est les j'aime et les je n'aime pas. Aimes-tu les huîtres ?

— Beurk ! s'exclame Charlotte en faisant une grimace. Je parie que tu les aimes, ajoute-t-elle alors.

— Je les déteste, avoue Patricia.

— C'est pour ça que tu as pensé que je les aimerais? demande Charlotte avec méfiance.

— Si je peux me permettre, réplique Patricia avec humeur, je trouve ça idiot. J'ai juste pensé que c'était une question intéressante. C'est-à-dire... puisque je devais rédiger cette liste de questions stupides, je me suis dit que je pouvais aussi bien noter quelque chose qui me ferait rire.

— Oh, fait Charlotte. Tu sais, ajoute-t-elle après avoir réfléchi, c'était une très bonne question. Savais-tu que les gens mangent les huîtres crues?

— Elles sont peut-être encore vivantes quand ils les avalent, dit Patricia pensive, en ouvrant ses yeux bien grand.

Les deux jeunes filles se regardent, horrifiées.

— Penses-tu qu'elles savent qu'elles se font avaler? demande Charlotte.

— Elles émettent peut-être un petit cri de

terreur, dit Patricia.

— Si les gens pouvaient les entendre gémir, je parie qu'ils ne mangeraient plus jamais d'huîtres crues, ajoute Charlotte. Ce n'est pas parce qu'elles ont un aspect repoussant qu'elles méritent d'avoir une mort ignoble. Maintenant c'est mon tour. As-tu déjà suivi des cours de danse?

— Oui.

— As-tu aimé ça?

— J'ai détesté ça, affirme Patricia d'une voix basse et profonde. Mes pieds se heurtaient toujours l'un contre l'autre et mes coudes cognaient toutes les filles autour de moi. Je suppose que tu adores les cours de danse, toi, dit-elle en fixant Charlotte.

Charlotte secoue la tête de gauche à droite.

— J'avais l'impression que les gens me regardaient tout le temps et je voulais disparaître. Un jour, tout le monde m'a vraiment regardée lors d'une représentation. Je devais faire quelques pas seule. Je suis restée sur la scène sans bouger ; j'avais oublié ce que je devais faire. C'était affreux !

— Madame Kiev a dit à maman que je serais probablement meilleure en danse moderne, explique Patricia. C'était très gentil de sa part. Elle n'a pas dit que je ne valais rien.

— Papa a dit à maman que j'étais la fille la plus triste du groupe et que l'on ne devait plus m'obliger à danser. Après, j'ai tout arrêté, raconte Charlotte. Maintenant, voici une autre question. Quel prénom aurais-tu détesté avoir ?

— Blanche, répond Patricia après y avoir pensé. Et toi ?

— Antoinette, dit Charlotte après avoir beaucoup réfléchi à la question. Je suis vraiment heureuse de ne pas m'appeler Antoinette.

La cloche sonne. Tous les élèves courent se mettre en rang près de l'escalier. Patricia et Charlotte les rejoignent.

Cela fait trois jours qu'elles travaillent à leur recherche. Dès qu'elles ont un moment libre, elles se posent des questions et inscrivent les réponses dans leur cahier de notes.

Lors d'une période d'étude libre, Patricia demande :

— Quelle est la pire chose que tu aies faite ?

— J'étais vraiment très petite, explique finalement Charlotte, après avoir réfléchi pendant un moment. J'ai pris le peigne de maman, je me suis cachée derrière le divan et j'ai brisé presque toutes les dents. Je me demande pourquoi j'ai fait ça, ajoute-t-elle après un instant. J'ai reçu une bonne fessée. Et toi ?

— C'était juste avant que papa ne meure. Il travaillait sur de très longues feuilles de papier. C'était un travail très important. Il s'est levé pour faire autre chose et il les a laissées sur le plancher, à côté de sa chaise. Pendant qu'il était occupé ailleurs, j'ai dessiné dessus des personnages au crayon rouge. Je le faisais tout en sachant que c'était interdit.

Patricia ne dit rien pendant un moment, ses yeux semblent perdus dans le vague.

— Je voudrais ne jamais avoir fait cela, ajoute-t-elle doucement.

Lorsqu'elles se dirigent vers la cafétéria pour dîner, Charlotte demande :

— Quelle est la chose qui te fait le plus peur ?

— Cette figure blanche comme de la craie avec des yeux rouges exorbités qui regardent la nuit par ma fenêtre, dit Patricia. C'est évidemment idiot parce que ma chambre est à l'étage.

Toutes les deux éclatent de rire.

— Et toi ? demande Patricia. Qu'est ce qui t'effraie le plus ?

— Parler aux personnes que je ne connais pas, répond Charlotte. Je ne veux qu'une chose : disparaître, précise-t-elle en frémissant.

— Mais ce n'est pas effrayant, ça, proteste Patricia. Tu dois me dire quelque chose qui te fait réellement peur.

— Mais moi, je trouve ça effrayant, insiste Charlotte.

— Ça ne l'est pas, réplique Patricia.

— Oui, dit Charlotte. Je préfère... je préfère... manger des sauterelles !

Patricia ne sait pas quoi lui répondre. Elle penche la tête d'un côté et, songeuse, étudie Charlotte. Mais elle ne dit plus rien.

Leur cahier de notes se remplit vite.

— Quel est le pire rêve que tu aies fait ?

— Une souris géante me pourchassait.

— Il y a une grosse pointe de pizza et chaque fois que je veux en prendre une bouchée, elle s'éloigne de moi.

— Qu'est-ce qui te fait rire ?

— Me faire chatouiller. Je déteste cela.

— Penser aux adultes qui font des choses idiotes. Par exemple, penser à monsieur Granger habillé comme un bébé, qui agite un énorme biberon et crie « Ouinnnn! »

— Quelle est l'information la plus inutile que tu aies entendu?

— Lorsqu'un crabe se brise une pince, il lui en pousse une nouvelle.

— Ce n'est pas inutile. C'est très important pour le crabe.

— Mais pas pour les gens. Les doigts ne repoussent pas lorsque les gens se les coupent complètement. Et toi, quelle est ton information la plus inutile?

— Les ours n'hibernent pas.

— Oui, ils le font.

— Non non. Ils font juste de très longues siestes. Mais ils ne deviennent pas complètement engourdis comme les autres animaux qui hibernent vraiment. Je l'ai lu dans l'encyclopédie, l'autre jour.

— Si c'était dans l'encyclopédie, ce n'était pas inutile.

— Bien sûr que c'est inutile. Je ne peux l'utiliser en aucune façon.

Cette question sur l'information la plus inutile se termine en queue de poisson. Elles ne peuvent réellement décider de ce qui est inutile.

— Tu veux venir chez moi ? demande Patricia après l'école. On pourra se poser des questions entre nous en prenant un goûter.

Elles marchent avec Émilie et Éloïse, puis elles bifurquent vers la rue de la Forêt et poursuivent leur chemin jusqu'à la maison que cache un immense saule.

CHAPITRE 4

Lorsque Patricia ouvre la porte, une musique mélodieuse résonne dans toute la maison. Mais les deux fillettes ne peuvent pas faire un pas de plus. Une masse de poils se précipite sur Patricia, lui saute après et aboie de joie. Patricia se penche pour prendre le chiot et elle le regarde dans les yeux, même s'il est difficile de les apercevoir parmi tout ce poil.

— T'es-tu ennuyé de moi aujourd'hui, Taloche?

Un grand coup de langue sur le menton fait rire Patricia.

— C'est Taloche, dit-elle.

L'enthousiasme du chiot est communicatif, et Charlotte éclate de rire.

— Je pensais qu'il avait une patte dans le plâtre, dit-elle en regardant le chiot et en essayant de comprendre.

— On le lui a retiré la semaine dernière, explique Patricia. Maintenant, Taloche est en pleine forme.

Elle tient le chiot pour que Charlotte puisse le caresser. Taloche grogne.

— Mes vêtements doivent sentir Bagnoule, fait remarquer Charlotte. Allons, viens, Taloche. Je ne suis pas un chat. Je ne vais pas te poursuivre.

Taloche accepte de se faire caresser derrière les oreilles, mais il n'est pas plus amical qu'il le faut.

— C'est maman qui joue du piano, explique

Patricia. Viens.

Elle se dirige vers la salle à manger jusqu'au piano, s'appuie tout contre et caresse Taloche. Elle aime écouter sa mère jouer du piano quand elle joue pour elle-même, et non quand elle joue pour que ses filles chantent. La musique rend Patricia joyeuse. Cette nouvelle maison devient vraiment *sa* maison lorsque sa mère joue ainsi du piano.

Charlotte s'installe sur le bout d'une chaise. Elle regarde et écoute. Elle n'a encore jamais vu des doigts bouger si vite. Comment madame Beaupré réussit-elle cela ? Elle ne les regarde même pas, ses yeux suivent une partition. Charlotte bat la mesure avec son pied sans même s'en rendre compte. Elle se sent remplie de musique.

Madame Beaupré fait glisser ses doigts vers les notes hautes, puis vers les notes les plus basses. Et la musique s'arrête.

— Là ! dit madame Beaupré. Je commence

à vraiment sentir ce morceau. Je vais bientôt le jouer parfaitement.

Charlotte hausse les sourcils. Comment est-il possible de mieux jouer? Ça lui semble tellement parfait!

— Ta journée s'est bien passée? demande madame Beaupré en pivotant sur son banc.

— Oui, oui, fait Patricia en frottant son menton contre la tête de Taloche.

— Vas-tu me présenter ta nouvelle amie? demande madame Beaupré en souriant à Charlotte.

En entendant le mot « amie », Patricia et Charlotte se jettent un coup d'oeil. Puis Patricia fait les présentations.

— On fait une recherche ensemble, dit-elle. Et on a très faim. Reste-t-il des moufflets d'hier soir?

— Oui, dans le réfrigérateur, répond madame Beaupré. Tu peux les manger maintenant, si ça ne te fait rien d'avoir des poires en conserve comme dessert, ce soir. Sers-toi. Charlotte, ajoute-t-elle quand les fillettes s'apprêtent à quitter la pièce, viens nous voir souvent. Tu es la bienvenue.

Et elle se remet à jouer du piano.

Patricia verse du lait dans des verres de Snoopy. Elle sert ensuite les moufflets dans des assiettes en carton.

— De cette façon, explique-t-elle, on n'a pas besoin de les laver.

Elle va chercher quelques biscuits pour Taloche, puis les deux fillettes s'installent à table. Le son du piano arrive jusqu'à la cuisine. De temps en temps, Patricia se penche vers le chiot pour lui offrir un biscuit.

— Tu veux lui en donner? demande-t-elle à Charlotte en faisant glisser un biscuit vers elle.

Charlotte tient le biscuit du bout des doigts.

— Tiens, petit, fait-elle d'une voix cajoleuse. Viens, n'aie pas peur.

Taloche s'avance avec précaution, prend délicatement le biscuit sans lui toucher les doigts et retourne voir Patricia.

— Ne t'en fais pas, explique Patricia. Il est encore un peu craintif avec les étrangers. Tu comprends, il a vraiment été maltraité par quelqu'un. Mais il fait des progrès.

Charlotte mange de nouveau son moufflet. Elle passe sa langue sur ses lèvres.

— C'est bon!

Patricia la regarde.

— Je vais peut-être te dire ma recette pour le rendre encore meilleur. Je vais te dévoiler mon super secret. Tu sais, je ne le confie pas à n'importe qui!

Elle saute en bas de sa chaise et va chercher de la sauce au chocolat.

— Fais comme moi, dit-elle.

Elle prend un morceau de moufflet, le trempe dans la sauce au chocolat et le porte

à sa bouche. Puis elle ferme les yeux pour mieux savourer sa bouchée.

— Essaie, tu vas aimer ça, insiste Patricia en ouvrant les yeux.

Charlotte ne se fait jamais prier pour du chocolat!

Des pas pressés se font entendre sur la véranda. La porte s'ouvre grand et Marie, une des soeurs de Patricia, se précipite dans la cuisine. Elle laisse tomber ses livres sur une chaise.

— Je vois que j'arrive juste à temps! s'exclame-t-elle, les yeux rivés sur les moufflets. Avant que vous les mangiez tous...

— On n'allait pas tous les manger, se défend Patricia.

Marie aperçoit la sauce au chocolat.

— Vous ne gaspillez pas ce merveilleux dessert avec de la sauce au chocolat! s'exclame-t-elle comme s'il s'agissait de quelque chose d'horrible. Et tu le fais devant quelqu'un, en plus!

— Je ne le gaspille pas, répond gentiment Patricia. C'est une façon de donner encore plus de goût aux dernières bouchées.

Marie grommelle et s'empresse de se servir un moufflet.

— Tu as fini? demande Patricia à Charlotte. Alors, viens.

Charlotte la suit à l'étage en réfléchissant. La soeur de Patricia lui rappelle son frère, Renaud. Renaud l'andouille. Dès qu'il la voit, il dit quelque chose de méchant. Est-ce qu'une soeur andouille, c'est mieux ou pire qu'un frère andouille?

— Voici ma chambre, indique Patricia en pointant une pièce du doigt. Mais avant, viens voir la chambre de ma grande soeur, Cécile. Tu sais, Cécile va au cégep.

Elles entrent dans une chambre où il y a un grand lit recouvert d'un couvre-lit coquille d'oeuf. De petits oreillers de différentes formes dans des teintes de rose sont dispersés sur le lit.

Charlotte n'en croit pas ses yeux.

— J'ai l'impression de voir une chambre de magazine! s'exclame-t-elle. C'est la chambre la plus jolie que j'aie jamais vue. Mais, ajoute-t-elle mal à l'aise en se rappelant Marie, ça ne lui fait rien qu'on entre ainsi dans sa chambre?

Patricia secoue la tête.

— Non, si nous ne faisons pas de désordre. Cécile est tellement jolie qu'elle pourrait faire du cinéma. Et elle est très gentille, aussi.

— Eh bien, je suis contente de savoir que tu penses ça, dit une voix rieuse.

La plus jolie fille que Charlotte ait jamais vue se tient dans l'encadrement de la porte. Même avec ses cheveux enveloppés dans une serviette éponge, elle est jolie.

— Qui est cette amie? demande-t-elle à Patricia en entrant dans la chambre et en lui ébouriffant les cheveux.

Patricia lui présente Charlotte. Cécile lui tend la main, la regarde et lui sourit. Ses fossettes se creusent. Charlotte a l'impression d'être la personne la plus merveilleuse que Cécile ait jamais rencontrée.

— Est-ce qu'on peut voir tes bracelets? demande Patricia.

Cécile discute un bon moment avec elles. Elle leur montre ses bracelets et tamponne leur nez d'eau de Cologne.

— Ta soeur est la fille la plus jolie que j'aie vu en chair et en os, dit Charlotte en suivant Patricia dans sa chambre.

— J'espère que je serai exactement comme elle quand je serai grande, explique Patricia sans ajouter : « Et pas comme Marie. »

J'avais l'habitude de partager ma chambre avec Marie, fait-elle remarquer à Charlotte, mais maintenant, ma soeur a sa chambre à l'étage. Elle voulait un lit d'eau... maman pense que le plancher n'est pas assez solide et qu'il ne résistera pas à une telle masse. Alors, elle a eu un lit de cuivre. Moi, j'aurai mes propres meubles lorsque j'aurai douze ans. Mais j'aime bien ces lits superposés.

Elles s'installent près de la fenêtre pour se poser d'autres questions.

— Quelle est la chose la plus fantastique qui te soit arrivée?

— Quel est ton chanteur préféré?

— Aimes-tu les montagnes russes?

— Aimes-tu les garçons?

Cette dernière question les fait pouffer de rire.

CHAPITRE 5

— Maintenant rappelez-vous, dit madame Cantin, vous devez me donner votre composition sur un animal de votre choix aujourd'hui, avant de rentrer chez vous. Et n'inscrivez pas votre nom sur votre travail.

Des mains se lèvent dans la classe.

— S'il n'y a pas de noms, comment allez-vous savoir qui les a faits? demande Anne.

— Élémentaire, mon cher Watson, répond madame Cantin. Je vais inscrire le nom de l'animal que vous aurez choisi sur ma liste, près de votre nom, lorsque vous me remettrez vos travaux. Ne vous inquiétez pas — je ne vais pas les mélanger. Je connais l'écriture de chacun — sans parler de l'orthographe, ajoute-t-elle, l'air ironique.

Antoine reste perplexe.

— Pourquoi a-t-elle appelé Anne, « Watson » ?

— C'est ce que Sherlock Holmes dit toujours à son assistant, explique Didier.

Antoine a déjà entendu parler de Sherlock Holmes.

— Oh ! fait-il. Mais, ajoute-t-il après un instant, elle a dit « élémentaire ». Je croyais qu'elle parlait de l'école.

Antoine a de la difficulté à comprendre certaines choses.

— Imbécile ! marmonne Nicolas. Quel imbécile !

Didier se retourne et lance un regard furieux à Nicolas.

— C'est un grand mot qui veut dire que c'est tout simple, explique-t-il ensuite à Antoine. Par exemple, à l'école élémentaire, on apprend les choses faciles. Plus tard, on apprend des choses qui sont plus difficiles.

Antoine a l'air de se demander comment les choses peuvent être encore plus difficiles qu'elles ne le sont déjà.

Tous les élèves de la classe se sont mis à parler.

Madame Cantin frappe sur son bureau avec le livre qu'elle a dans ses mains.

— Silence, les enfants!

Tout le monde se tait.

— Maintenant, terminez votre composition. Ceux qui ont de la difficulté, venez dans le coin de lecture.

Antoine et quelques autres suivent madame Cantin dans le coin ensoleillé, sous les fenêtres.

Maxime s'installe et travaille fort. Un pli

soucieux lui barre le front et le bout de sa langue sort au coin de ses lèvres. Il écrit lentement, en s'appliquant.

Nicolas se penche au-dessus pour mieux voir et cogne le coude de Maxime.

Précipitamment, Maxime couvre sa feuille de son bras.

— Eh, tu me fais faire des bavures. Et en plus, tu ne dois pas savoir quel animal je suis.

— Bon, d'accord, répond Nicolas d'un ton blessé. Ne sois donc pas si poule mouillée.

Maxime lui lance un regard désespéré et prend une nouvelle feuille de papier dans son cahier de notes.

Charlotte regarde Patricia. Au même moment, Patricia cherche Charlotte du regard.

— Après l'école? fait Charlotte en articulant chaque syllabe sans faire un seul son. Chez moi?

Patricia comprend et fait un signe de tête affirmatif.

— Beaucoup de questions, articule-t-elle à son tour.

Puis elles se remettent à travailler leur composition. Elles ont passé beaucoup de temps ensemble la semaine dernière, à s'interviewer. Mais ni l'une ni l'autre n'avait parlé de l'animal qu'elle avait choisi. Personne ne doit le dire, ça fait partie du jeu.

Je suis un faucon pèlerin, écrit Charlotte. *Je vole haut dans le ciel.* Hé! c'est presque de la poésie. Elle se recule sur sa chaise et relit son texte, contente d'elle. Puis elle se remet à la tâche.

Parfois, je déploie mes ailes et je me laisse porter par le vent. Puis je bats des ailes encore et encore. Je monte très très haut et bien vite, je me laisse de nouveau porter par le vent. C'est ainsi que je joue.

Elle appuie son menton dans sa main et réfléchit quelques instants. Puis elle écrit : *Je peux tout voir. Je peux voler partout. Un oiseau est plus libre que n'importe quel autre animal.* Elle parle ensuite des oeufs et des fauconneaux.

À son bureau, Patricia travaille fort, elle aussi. *Je suis un dauphin, écrit-elle. Nous, les dauphins, nous nous amusons plus que n'importe qui d'autre. C'est pour cela qu'on a toujours un grand sourire. On nage et on plonge dans les vagues et c'est comme si tout l'océan nous appartenait.* Elle doit réfléchir un bon moment avant de poursuivre. C'est difficile d'écrire. Elle fronce souvent les sourcils et griffonne le dessin d'un dauphin sur sa feuille.

Une fois, j'ai vu des dauphins à la télévision, écrit-elle. Soudain, elle s'arrête et efface sa ligne. C'est une fille qui parle, pas un dauphin.

Elle recommence. *J'ai des cousins dauphins qui vivent dans des bassins profonds en Floride. Je les ai déjà vus à la télévision.* Elle efface la dernière phrase. C'est encore une fille qui parle, pas un dauphin. *Un jour, ils ont vu une caméra de télévision les filmer pour que les enfants sachent combien ils sont intelligents. Tout le monde est gentil avec mes cousins. Mais ce serait mieux s'ils avaient l'océan entier pour nager, tout comme moi.*

Elle aborde bien d'autres choses, la façon dont les dauphins respirent de l'air, par exemple. Et dans la partie de sa composition qu'elle trouve la plus intéressante, elle raconte comment des dauphins ont sauvé un marin en train de se noyer, en le maintenant à la surface pour qu'il puisse respirer.

Lorsque la cloche sonne, les élèves font la file au bureau de madame Cantin pour lui remettre leur travail. Puis ils enfilent leurs blousons, agrippent leurs sacs à dos et sortent précipitamment.

Charlotte regarde Patricia de côté.

— Je parie que je peux deviner l'animal que tu as choisi, dit-elle.

Patricia ne le pense pas. Elle fait un signe de la tête.

— Jamais de la vie!

Charlotte insiste.

— C'est un animal qui te ressemble.

Voilà qui fait réfléchir Patricia. Elle ressemble peut-être à un dauphin, elle a toujours tellement de plaisir.

— Eh bien, si c'est ça, je devrais être capable de trouver ton animal, moi aussi. Et je pourrai tout savoir à ton sujet.

Charlotte semble surprise. Veut-elle vraiment que les gens sachent tout d'elle?

— Écoute, dit Patricia. J'ai une question très spéciale pour toi. Lorsque tu te lèves, quel pied poses-tu en premier par terre, le gauche ou le droit?

Charlotte se regarde les pieds en essayant de se rappeler ce qu'elle fait chaque matin.

— Le gauche, dit-elle finalement.

— Moi aussi, réplique Patricia avec surprise.

— Et qu'est-ce que ça veut dire? demande Charlotte, perplexe.

Patricia cligne des yeux. Elle a seulement pensé à la question, pas à la réponse. Bien vite, elle trouve une réponse.

— Les gens qui posent le pied grauche en premier ont plus de plaisir que les autres, affirme-t-elle d'une voix convaincue.

— Tu viens de l'inventer ! s'écrie Charlotte.

— Ah ! tu crois ça, hein ? lance Patricia. Eh bien, fais attention. Tu t'en rendras bien compte.

Le pied gauche en premier... Charlotte se promet de surveiller les gens qui seront pieds nus, dès qu'elle en aura l'occasion. Elle ne sait pas que Patricia vient tout juste de décider la même chose !

CHAPITRE 6

— On a trois chats, chez nous, explique Charlotte en caressant Bagnoule tandis que Patricia, agenouillée dans l'entrée, essaie d'amadouer Biscotte.

Monsieur Pipo s'est réfugié en haut de la patère.

Biscotte se laisse prendre.

— Ils sont vraiment différents les uns des autres, constate Patricia. Celui-ci est écaille de tortue et le tien, complètement gris.

— Fais attention à monsieur Pipo, prévient Charlotte. Il lui arrive souvent de sauter sur l'épaule des gens, de là-haut.

Patricia recule et regarde le chat jaune d'un air méfiant.

— Oh, il n'est pas méchant, la rassure Charlotte. Il essaie juste d'être amical. Seulement, les gens doivent aimer sa façon d'agir.

Une porte claque quelque part. Le chat jaune bondit sur le plancher et se précipite vers la cuisine.

— Ce doit être mon grand frère Renaud qui vient d'arriver, dit Charlotte. C'est son chat.

La porte d'en avant s'ouvre et un petit garçon entre.

— Au revoir, madame Fabre, lance-t-il.

Il pousse ensuite la porte avec ses deux mains pour la fermer et va directement voir Patricia.

— Je regrette, mais c'est mon chat que tu as

dans les bras.

— Oh, pardon! s'exclame Patricia en faisant glisser le chat dans les bras du garçon.

— Ce n'est rien, réplique Sébastien. Tu t'es ennuyé, Biscotte? demande-t-il en frottant sa joue contre la douce fourrure de l'animal.

Patricia regarde Charlotte d'un air interrogateur.

— Mon petit frère, Sébastien, présente Charlotte. Sébastien, voici Patricia.

— Salut, dit Sébastien. Tu peux prendre Biscotte des fois, ajoute-t-il aimablement. Mais je dois le prendre en premier quand je reviens de chez madame Fabre.

Patricia trouve que c'est le plus gentil petit garçon qu'elle ait jamais connu. Il est tellement doux, aimable et mignon avec ses grands yeux bruns sous sa tignasse blonde.

— Montez tous, lance une voix d'homme très agréable. Renaud, apporte un litre de lait de la cuisine, s'il te plaît.

— C'est mon père, explique Charlotte. Il est toujours ici. C'est un artiste et il a son atelier à l'étage. Maman arrivera peut-être bientôt, mais ça m'étonnerait. Elle enseigne et elle doit parfois rester après la classe.

Des pas se font entendre. Un garçon, plus grand que Patricia et que Charlotte, arrive dans l'entrée, un litre de lait dans une main et un chat jaune dans l'autre.

— Bonjour, face de rat, lance-t-il à Charlotte. Alors, tu as fait peur à combien de personnes, aujourd'hui?

— Sûrement à moins de personne que toi, grandes oreilles, répond calmement Charlotte.

Le garçon fait une grimace désespérante. Il ne fait même pas attention à Patricia et monte directement à l'étage.

— Renaud est une grande andouille, explique Charlotte en montant l'escalier. Ne fais pas attention à lui s'il dit des choses désagréables.

Sébastien les suit péniblement.

— Tu veux que je t'aide ? demande Patricia en se retournant vers lui.

— Je peux le faire tout seul, répond-il fièrement en secouant la tête. J'y arrive de mieux en mieux.

Patricia n'a jamais vu un endroit comme l'atelier.

— Eh bien ! s'écrie monsieur Miron en remarquant le regard que Patricia lance autour de la pièce. On a de la visite. On est toujours contents d'avoir de la visite. C'est une façon civilisée de terminer une journée de cours — une façon très civilisée !

Charlotte dépose Bagnoule par terre pour qu'il fasse la connaissance de Patricia. Monsieur Miron se lève et vient lui serrer la main comme si elle était une grande personne.

— Patricia, c'est bien ça ? Je crois que j'ai quelque chose pour célébrer ta première visite chez nous.

Il se dirige vers une petite commode près de sa table à dessin.

Patricia va s'installer avec Charlotte à une petite table devant une fenêtre pour goûter. Elle regarde Sébastien verser du lait dans de grands verres. Lorsqu'elles commencent à manger, monsieur Miron s'approche d'elles, une boîte ronde entre les mains.

— Je savais bien que j'aurais l'occasion d'en offrir un de ces jours, dit-il.

Charlotte se penche pour voir ce que contient la boîte. Un sourire illumine son visage. Des pralines et des chocolats. Son père ne pouvait pas mieux tomber.

Monsieur Miron en offre à tous. Patricia se rappelle ses bonnes manières et fait bien attention de ne pas prendre le plus gros morceau. Mais Sébastien, lui, ne se gêne pas.

— À Patricia, lance monsieur Miron avant de mordre dans son chocolat.

Patricia éclate de rire. Quel homme charmant, le père de Charlotte!

— À Patricia, répètent en choeur Charlotte et Sébastien en imitant leur père.

Renaud, pour sa part, l'ignore.

Un peu plus tard, Charlotte fait visiter l'atelier à Patricia. Il y a de gros rouleaux de papier, des pinceaux, de la gouache, de l'aquarelle, des encres, des crayons feutre, toutes sortes de choses.

— Tu peux vraiment venir ici quand tu le veux et dessiner tout ce que tu as envie de dessiner? demande Patricia lorsqu'elles redescendent.

— Pas vraiment, lui explique Charlotte en sautant d'une marche à l'autre, les bras étendus, comme si elle volait. Si papa a un travail important à faire ou à terminer très rapidement, on ne doit pas le déranger. On ne peut pas non plus utiliser ses meilleurs pinceaux et des choses comme ses pastels. Mais il y en a plein d'autres qu'on peut utiliser.

Patricia trouve que son amie a bien de la chance. Elle fait un saut de côté quand Bagnoule dégringole l'escalier et passe devant elle à toute allure.

— C'est très chouette, admet Charlotte en se dirigeant vers sa chambre.

Elle adore peindre et dessiner.

Patricia s'arrête devant le dessin d'un chat gris aux yeux verts épinglé sur le babillard.

— Quelle beau dessin de Bagnoule ! C'est toi qui l'as fait ?

Charlotte fait un signe de tête.

— Il y a un défaut dans la queue — Bagnoule ne voulait pas la laisser immobile. Tu dois apprendre à ne pas bouger lorsque tu poses, dit-elle à sa chatte en la caressant.

— Elle a les yeux presque de la même couleur que les tiens ! s'exclame Patricia en regardant la chatte. As-tu déjà remarqué la façon dont les chats ferment les yeux quand tu leur caresse la tête? ajoute-t-elle.

Charlotte va devant le miroir observer ce qui se passe tandis qu'elle gratte la tête de sa chatte. Les yeux de Bagnoule se ferment effectivement.

— Je l'ai toujours su, dit Charlotte pensivement, mais je ne me suis jamais demandé pourquoi.

Puis elles se remettent à parler sérieusement.

— Quand vas-tu écrire ta composition à mon sujet?

— Ce soir.

— Moi aussi.

— J'ai une autre question à te poser. Si tu pouvais être un personnage d'un conte de fée, qui aimerais-tu être?

— La belle, dans «La Belle et la Bête». Elle est très gentille. Et toi?

— Rumpelstiltskin.

— Non !

— Oui. On fait juste semblant. J'ai toujours hâte d'arriver à ce passage de l'histoire où il frappe si fort du pied qu'il passe au travers du plancher et qu'il s'enfonce dans le sol.

— J'ai une autre question. Si tu ne pouvais pas être une fille, aimerais-tu être un garçon ?

— Un garçon ! Jamais !

— Moi, j'aime bien être une fille.

— Moi aussi.

CHAPITRE 7

La classe est divisée en deux équipes, les Abeilles et les Geais. Madame Cantin a mis dans un chapeau quelques petits bouts de papier sur lesquels elle a inscrit un nom d'animal. Puis le nom de chacune des équipes a été tiré au sort. L'équipe gagnante aura le privilège de jouer un tour à l'équipe perdante.

Madame Cantin a collé les travaux au tableau. Les équipes doivent lire les compositions, puis deviner qui les a rédigées et, par conséquent, quel animal chacun des élèves a choisi d'être.

Les Geais sont dans un coin de la classe et établissent leur liste, et les Abeilles sont dans un autre coin. La moitié de leur liste est exacte, bien entendu, puisque les membres de l'équipe peuvent dévoiler le nom de l'animal qu'ils ont choisi. Mais le reste de la liste? Il y a beaucoup de murmures et de chuchotements.

— L'éléphant doit être... Chut! Ils vont entendre! disent les membres de l'équipe des Geais.

Des rires fusent du coin des Abeilles.

— Ils ne gagneront pas. Ne les regardez pas. Je parie que le kangourou, c'est... Silence!

— C'est fini! lance madame Cantin. Terminez vos listes et apportez-les moi.

Des grognements de désapprobation remplissent la classe.

Hélène et Anne, qui rédigent les listes, se dépêchent de les terminer et les remettent enfin à madame Cantin. Celle-ci s'empresse de les vérifier en les comparant avec la sienne.

Charlotte et Patricia se jettent un coup d'oeil, chacune dans son coin. Charlotte est une Abeille ; Patricia, un Geai. Quelle équipe va gagner? Quel tour horrible va-t-elle jouer aux perdants?

— Bien... commence madame Cantin en levant ses yeux de sa liste.

— Vite, dites-nous... qui a gagné?

— Les Abeilles ont le mieux répondu.

— Hourra! Je vous avais bien dit qu'on gagnerait!

Les Abeilles applaudissent à leur succès.

— Vous avez bien compté? On a vraiment perdu? Bouuuu!

Les Geais ne prennent pas cela à la légère. Ils surveillent nerveusement les Abeilles qui expliquent leur tour à madame Cantin. C'est Félix qui parle le plus. Mais Charlotte rit et parle, elle aussi.

La tête penchée, madame Cantin écoute attentivement. Après un certain temps, elle approuve leur plan d'un signe de la tête.

Les Geais échangent des regards. L'heure est arrivée !

Les membres de l'équipe des Abeilles se regroupent comme s'ils formaient une équipe de football, et parlent à voix basse. Finalement, ils se retournent et font face aux Geais.

— Alignez-vous le long du tableau, ordonne Antoine, fier d'appartenir à l'équipe gagnante.

— On va vous donner une leçon de chant, annonce Félix en riant.

— Hé, continue, fait une des Abeilles. Ne nous abandonne pas tout de suite.

Félix se retient pour ne pas éclater de rire.

Les Geais se massent devant le tableau.

— La moitié des Geais vont de ce côté, dirige Maxime en leur montrant la droite du tableau d'un signe de la main, et l'autre moitié va de l'autre côté.

Il y a encore des discussions et un peu de grabuge au moment de déterminer combien d'élèves forment la moitié de l'équipe.

— Bon, ça va, dit Félix. Vous, ajoute-t-il en montrant les élèves à sa droite, vous allez chanter comme moi : Haaan, fait-il d'une voix basse.

— Haaan, répète la moitié des Geais.

— Maintenant, explique Éloïse en montrant l'autre groupe, chantez : Hiiii, d'une voix aiguë.

— Hiiii, font les élèves du groupe. Hiiii !

Didier se recule.

— Je suis le chef d'orchestre, annonce-t-il. Lorsque je pointerai mon doigt vers vous, vous chanterez.

Il montre le groupe de droite, puis celui de gauche.

— Haaan !

— Hiiii.

— Plus vite, demande-t-il en accélérant ses gestes.

Droite, gauche, droite, gauche.

— Haaan. Hiiii.

Avant que les élèves n'aient le temps de s'en rendre compte, ils font : Hiiii-Haaan... Hiiii-Haaan... Hiiii-Haaan.

Patricia est la première à s'en rendre compte. Elle s'arrête et pose ses poings sur les hanches.

Félix l'imite.

— Vous avez l'air... vous avez l'air d'un...

Il éclate de rire et ne peut terminer sa phrase.

— Troupeau d'ânes ! explose Nicolas d'un air outré. Vous nous avez fait imiter des ânes!

Mais personne d'autre ne s'en fait. Ils sont tous pliés en deux. Même madame Cantin rit aux larmes.

La cloche sonne...

— Patricia... Charlotte, dit madame Cantin, vous pouvez rester une minute, s'il vous plaît?

Nicolas s'arrête près du bureau de Charlotte. Elle a encore les yeux rieurs et un sourire au coin des lèvres.

— Nouille! s'exclame-t-il. Je parie que cette idée vient de toi, tu es tellement intelligente!

— Ne t'avise pas de traiter Charlotte de nouille, le prévient Patricia. Ne t'avise pas!...

Nicolas reste perplexe.

— Pourquoi prends-tu sa défense, la grosse?

Le visage de Charlotte devient tout rouge.

Elle s'approche de Nicolas... son visage est tout près du sien.

— Ne te mêle pas d'appeler Patricia la grosse, Nicolas Gravel. Elle n'est pas grosse. Elle est juste... juste... un peu ronde. Je ne t'aiderai plus jamais à trouver quelque chose dans l'encyclopédie, Nicolas Gravel. Voilà!

— Les filles! s'exclame Nicolas avec dégoût. Les filles! Elles ne savent même pas reconnaître une blague.

Et il se dirige vers la porte.

ARTS
AND

CHAPITRE 8

Après tout ces éclats de rire, la classe est étrangement silencieuse. Patricia et Charlotte s'appuient contre le bureau de madame Cantin.

— Alors? leur demande-t-elle. Avez-vous terminé votre autre composition?

Patricia et Charlotte les déposent sur son bureau.

Madame Cantin lève ses mains en signe de refus.

— Je ne veux pas les voir. Mais je me demande si vous n'aimeriez pas vous les échanger.

Avec gêne, les deux fillettes échangent leur travail.

« Je m'appelle Patricia Beaupré, lit Patricia. Mais j'ai un surnom merveilleux : Praline. Je parle beaucoup et je ris aussi beaucoup. Je mets les gens à l'aise autour de moi et je les fais bien rire. Mes cheveux et mes yeux sont bruns comme des marrons. Ma grande soeur est la fille la plus merveileuse qui existe au monde. Mon autre soeur est horrible, mais elle va peut-être changer en vieillissant. J'ai un chiot qui se nomme Taloche. J'habitais la ville de Brossard, mais maintenant, je vis ici et j'aime bien ça. Je veux demeurer ici pour toujours. »

Elle lève la tête s'apprêtant à dire : « Hé, c'est vraiment moi ! », mais elle s'aperçoit que Charlotte lit, elle aussi.

« Je m'appelle Charlotte Miron. Mes cheveux sont d'un blond doré. Mes yeux sont de la même couleur que ceux de mon chat. Je ne parle pas beaucoup et je suis un peu gênée avec les personnes que je ne connais pas beaucoup, mais après, je ne suis plus gênée. Je ris beaucoup. J'ai un petit frère adorable et un monstre de grand frère. Il ne connaît pas la chance qu'il a de m'avoir. Mon amie Patricia Beaupré dit, elle, qu'elle a beaucoup de chance. »

Charlotte relève la tête, les yeux brillants. Elle aime principalement le passage où Patricia dit qu'elle est son amie. Elle regrette de ne pas avoir écrit quelque chose de semblable dans sa composition.

Madame Cantin les regarde.

— Leçon terminée, dit-elle. Vous n'avez plus besoin de vous interviewer.

— Mais je le veux, lance Charlotte.

— Moi aussi, réplique Patricia.

— Je n'ai rien de plus à ajouter, conclut madame Cantin. Vous pouvez partir maintenant. Oh, juste un instant!

Elle se retourne et saisit les bols en céramique de Patricia et de Charlotte.

— J'aime beaucoup le bleu, commence-t-elle, et j'aime aussi le rouge. Comment serait le monde sans ce ciel bleu ni les coeurs rouges de la Saint-Valentin? L'un n'est pas mieux que l'autre. On a besoin des deux pour être heureux.

Patricia et Charlotte prennent leurs bols et sortent de l'école.

— On déteste toutes les deux les cours de danse, dit Patricia le long du chemin.

— On pose toutes les deux notre pied gauche en premier par terre, constate Charlotte. Mais je ne crois pas, continue-t-elle en jetant un coup d'oeil à Patricia, que les gens ont plus de plaisir pour cela.

— Mais n'avons-nous pas eu plus de plaisir, cette semaine? demande Patricia.

C'est vrai. Elles se sont vraiment bien

amusées.

Charlotte tourne son bol bleu dans ses mains et l'admire. Elle n'a jamais réussi quelque chose d'aussi beau.

— J'aimerais te l'offrir, dit-elle en le tendant à Patricia.

Patricia lui offre à son tour son bol rouge.

— Tiens, c'est pour toi.

Elles s'arrêtent à une intersection, attendant le feu vert, tenant précieusement leur bol.

— Les coeurs de la Saint-Valentin. Il y aura toujours quelque chose qui m'y fera penser, maintenant.

— Et moi, il y aura toujours quelque chose qui me fera penser au bleu du ciel.

— Toujours.

— Oui, toujours!

JL

Titres de la collection

- Une amitié nouvelle
- Des amies pour la vie

ACHEVÉ D'IMPRIMER
EN AOÛT 1989
SUR LES PRESSES DE
PAYETTE & SIMMS INC.
À SAINT-LAMBERT, P.Q.